詩集

Prism

KATUMI

夢の友出版

詩集 ***Prism***

もくじ

第一章　旅への誘《いざな》い

もくじ

第二章　プリズム

第一章　旅への誘《いざな》い

ふと読み返した古いノートに、何編かの詩が、小さな字で走り書きされていました。この詩集の最初の四つの作品は、自分自身も忘れていたものでした。それは旅への誘いの始まりでした。

～大学時代の作品から～

誘引体

荒れた海に
無数の波が立っている
波を貫き疾走するのは
一本の細いガラスの矢だ
回転しながら光を乱反射し
眩暈のような放心を
見よ！あの遥か輝く氷山の
急斜面に転がす

私はその矢の軌跡を
目指して行く北の飛魚だ
海面から飛翔し
墜落感に身を委ね

豊潤で無為の空間に
吹雪のような
飛沫をとばす

ちんどん屋

嘘をつくくらいなら
黙っていたほうがいい
と　その男は呟いていた
だから新宿ドヤ街の
二階に寝泊まりし
快晴の正月の日に
一人で死んでいった
いつも男の言っていたこと
正月にはちんどん屋が見える
誰もいない道路の真ん中を
ハデな音楽鳴らし
ちんどん屋が通っていく
俺は一人ぼっちで

それを見ている

夏になって久し振りに彼を訪ね
亡くなっていたことを知ったのだが
その時　妙に
ちんどん屋のことが思い返され
車のライト行き交う道路脇に
しばらく立っていた
暗い闇の中を向こうから
彼が一人で太鼓鉦鳴らして
陽気に来るような

漁火

何度この道を歩いて来たことだろう
月光に浸食された私の心は
あてのない方位の中で
呪縛という名の例祭に
踊らされているではないか

それでは田舎の帰り道を
陽気すぎるカラスのように
幸福に戻れと言うのか
私の茫漠とした暗海の一点に
悲しく漁火が灯る

絵

花瓶の曲線
コーヒーカップの影の色
蛍光灯の音
万年筆のペン先の記憶
窓から忍び込む
闇の冷たい手
頬のほてり
シャンプーの濡れた香り
爪の固さ
閉じられた唇

岬

未明の潮騒と浪の包囲
十七歳になった旅の日に
僕は感性と観念を
服のように身にまとい
狭い波打ち際まで
崖を降りて行った

微光を含んだ霧の粒子が
体を静かに包む
僕は貝を拾う　そして投げる
水平線から帰って来る浪は
繰り返す無言の問いかけだ
砂地に浪は浸みてゆき

棘《とげ》のような鋭い雷鳴が
僕の耳の奥に消えていく時
太陽が海面を赤で濡らす

海の底から浮かび上がる太陽の若い肢体
霧は断崖を這い上がり
煌《きら》めきとなって空に消えた
僕の目に前に無限が生まれ
夢のように
朝の青が深くなる

狂った果実

高層ビルの壁に映っている満月が
不安げに周りを見始める頃
決まってどこからともなく
一人の痩せた少年が現れるのだ
ナイフで切り裂いた闇の中から
滴り落ちる血を口で受け
手品師のようにポケットを探り
虫喰いの林檎や
朽ちた葡萄や
萎《しぼ》んだ檸檬やらを
次々と夜空高く放り投げる
果実は宙で笑い
気がつけば

あ
君は狂った果実に喰われる
青春の残骸なのだ

早春

幾つもの寂寥が
重なり合って沈殿している
野の林！冷たい木立の間を
春への想いが
縫うように流れて行く

枯れた地平線には
青い霧が立ち込め
その中を進む郊外電車の
車輪の最後の軋《きし》みを聞いたら

旅の誘いを書いた手紙を
淋しい友に送ろう

晩秋

遠くの山へ風が吹く
遠くの谷にせせらぎが響く
あんなに高く小さく
鳥が渡って行く

遠くの村では納めの例祭か
遠くの神社に古い幟《のぼり》が立つ

季節の縫い目を歩いて行く
木枯らし小僧が唄っている

今宵楽しく　とっと　酒盛り

今宵存分　とっと　酒盛り

山の麓の家にいるのは
誰ですか？
そんなに枯葉を踏みしめても
山道は　しんと　寂しい

冬の日の夕暮

―その頃、僕は中野サンプラザの十三階でアルバイトをしていた。
冬の日の夕暮、一枚ガラスの大きな窓はオレンジ色に輝き、まるで美しい夢のようだった。

夕焼けに街は黒いシルエットとなり
僕の心に滲んで染み入ってくる日
僕は何を夢想しているのか
そして何に醒めているのか

階段に置かれた一冊の詩集
海の絵の表紙が少し丸まっている
ふと船が動き出し
詩人の名前は風に捲れてしまう

僕は階段に腰かけて
君を待っている
いつまでも君を待っている

一日の終わりに
様々な彩色の夢が暮れていく
山の端には残光がひしめき
見上げる僕の体の中を
抜けて透る寡黙な人の
ぽつりと何かを呟く時

表面張力―二人の間違い―

愛することは
コップに耐えている水の表面張力のように
いつも溢れる想いを伝えられない

溢れだした水は
涙のようにうすくテーブルに滲んで
消えない染みを作り出す

＊　　＊

私の行けない所に　あなたが立っていて
あなたの行ける所には　私が立っていない
（静かすぎる丘の道には　今日も薄い陽が射している）

私たちの漂っている宇宙は
絶えず膨らんでいるので
愛と呼ばれるものは　あたりまえのように
自分の椅子を見失いがちだ

すると流れ続けている星々たちが
二人の間違いについて語りはじめ・・・
私は黙っているよりしょうがなくなる

・・・微笑が少しも私の肩を叩いてくれない日は
夜空が巨大な一つの風穴になってしまう

そして　また

そして　また
一つの橋がある
川面を掠《かす》め飛ぶ水鳥の
目線のその先に
また一つの夢がある

おまえの豊かな胸と
拡がる腰の稜線に
流れる指跡の重さ　深さ

冬

純白

汚して
しまうのは
なぜかしら

誰だって
決っして
そうするつもりは

風にきしむ一本の裸木

『沈黙を教えたのは

あなたよ』
と言った私

─睦月の風よ
頬に吹け
もう市は
語らいの集い

誰だって
決して純白は嫌いじゃないのに
ただ　いつまでもそうであることは
なんだか嘘のような

風に折れた一本の裸木

十五歳

私は運命というものについて考えていた
生、愛、死・・・
私は私の単語帳に
その言葉を秘かに書きこんだ

私は嘘ということについて考えていた
私は私の彫刻刀で
不信という名の前衛像を作った

私は悲しみということについて考えていた
美術の時間　濁色の空を描いて
先生に怒られた

私は人間というものについて考えていた
私は濃い鉛筆で
その文字を塗りつぶした

―私は困った顔で
風の吹き抜ける道の真ん中に
一人で立っていた

点描法

ガラス窓に老人の顔が映っている
窓の外には夜の闇があり
ほの白く
波の砕ける海が広がっている

そこに過ぎた日々がある
帰る場所を失くした悲しみに
まぶたをそっと閉じれば
少しずつ
想いは形を造ろうとするのだが

彩色されぬ沈黙に
いつからか線ではなく

老人は自画像を描くことができない
点でしか

雨

ぐずついていた空から
とうとう雨が降ってきた
差し伸べた手のひらにポツン、ポツンと

あたり前の生活が
雨の中で
海底の藻のように揺れている
道の両端の電信柱は
すくっと立ったままで

その緑のない
どこまでも続いている道を
突然　狂った女が走っていく

素足を血に染めながら
けたたましく笑い—
僕は肩を窄《すぼ》め
盗んだ他人の傘を広げ
差し伸べた手のひらを
ぐっと握りしめる

小樽の酔っぱらい

小樽で酒を飲んだら
街は坂道ばかりなので
俺はしたたか転んでいた
運河の辺りまで転がって行くと
夜の潮風が鼻をついた

おーい夜の女
俺とつき合わないか
俺は最終列車が来るまでの旅人
俺と
小樽の抒情について語り合おう

花売り爺さんのこと知っている？

それじゃあ啄木は？
伊藤整は？多喜二は？
一人も知らないって？
ほらほら
ラーメンの汁がこぼれているよ
来年運河を埋めちゃうだってね

—遥かな忍路《おしょろ》は
少年と少女が暮れゆく空の下
ぎこちなく指と指をからめた浜

—煉瓦造りの倉庫が立ち並ぶ運河沿いは
少年詩人達が別離を惜しんで
雪の夜彷徨い歩いた道

—煤けた小樽駅は

女学生と男子学生が沈黙の中
お互い盗み見した所

あれ何だよ　もう行っちゃうのか
せめてしばらく　あんたのその胸で
遠い波の音でも聞いていたかったのに

そう・・・さようなら
俺はもう少し飲むよ
この小樽を・・・

湖

「とても静かな気持ちだったんだ。心地よい冷気に包まれ夜の湖の畔《ほとり》を歩いていた。細波が小さな音を立て、湖面は月明りに遠くまで銀色に輝いていていた。漆黒の山がそれを囲んでいる。小動物の気配がしてさ、姿を現しそうなんだけれど、でも何て言うのかな、森のカムイの神秘的な力?もしてたからね、深い闇の中動けずに目だけ光らせているような感じ…。旅の最後の日だった。友人は一人水際を歩き、俺も少し離れて歩いていた。見上げれば、満天の星の中を流れ星が軌跡を残して消えていく。ちょっとセンチメンタルになっていたのかな、北の大地の奥深くにいるこの時間を、いつか美しい詩にできればと、そんなことを考えていたんだ」

（支笏湖・晩夏）

ズボンの裾が

ズボンの裾が短かったので
僕は悲しかった
それは深すぎる青空のように孤独だった

僕の挫折はいつも過去を巡る
混沌の淵に十本の指先を渡し
炎を恐れる
冬陽の霞む朝に走るマラソンランナーのように
時間の持つ寂しさを抜けて
僕も歩みはじねばならない

伸びた髪の記憶に櫛を入れ
昼の光の射す通りを行き

見知らぬ街宛に
薔薇の蕾を入れた手紙を投函したら
僕は僕の青空を現像し始めるだろう

影絵　~幼き日・蒲田にて

それはヨーチャン、英雄君、ミッチャン、元子
みんな集まって　春の夜
砂糖菓子のように甘く
楽しい過去《じかん》でした

障子のこちら側の電灯は消し
薄暗い闇の向こう側で
犬やウサギの影絵がぎこちなく
でもまるで生物《いきもの》のように動くのでした

お庭の上には
真ん丸お月さん
にっこり微笑み

それはそれは楽しい過去でした
これなんだ？
僕たちみんな薄暗い闇の中で
目をキラキラさせ胸わくわくさせ
先を争ってあてるのでした

人力飛行機

人力飛行機　橋の上
遠くに見えるは
ロンドン郊外　くすんだ空と丘

テムズ川　人の山で
子供らは　はしゃいでいる　つぎしたズボン

王様はお城から
肥った躰を窓際へ
望遠鏡で　見ている橋の上

　飛んだか　落ちたか
橋の上　人力飛行機

テムズ川　ロンドン塔

街はずれの靴屋では
トントン　トントン　靴の修理
トントン　トントン　赤鼻のお爺さん
「ばか者めが　人間が空をとべるかい」

両手をあげている子供らが
はしゃいでいる　跳ね回る
長いスカート　可愛い帽子
日傘片手の貴婦人も
となりの恋人忘れて見とれている

飛んだか　落ちたか
橋の上　人力飛行機
テムズ川　ロンドン塔

眠れない夜

眼窩《がんか》の奥底を湾曲させ
咽喉から胃の腑へと
仄《ほの》暗い溶岩を流し込む
今夜もそいつがやって来た

腰を滑《ぬめ》りながら水母《くらげ》のような掌で
陰茎を抵触し引き込んでは
脚を伝い踵《きびす》に積まれる
今夜もそいつがやって来た

おかげで僕の背は
毎晩少しずつ高くなってゆく　実は
周りの風景が沈没しているのかも知れないのだが

この陥穽に落ちて行っては
僕は回らない風車を吹いている
半ば呆れた顔をして立っているのは
闇の国から来た黒羽の天使
耳朶《みみたぶ》の上に翔び乗っては
砂礫の袋を内耳に詰めてゆく
僕は自分の声しか聞こえなくなる

ああ　僕を眠りにつかしてくれ
枕の中を無数の模造バッタが跳ね
顔の近くで死病のミミズクが
大きく羽ばたきをする
子守唄を聞かせてくれるバンドを僕は探す
どこにいる？
幻の鉄橋には

幻の列車が過ぎて行き
僕はただそれを
ベッドの中で見上げているばかりだ

旅への誘い

そして一つの真摯な行為の果てに
君の剥く青林檎の皮が渦を巻いて下りてゆく
なだらかな砂丘に立っている千切れた黒い旗のはためきは
今日　荒い波に洗われる不安の指先に鳴り続ける音楽だ
橙色のフロアの片隅
ロングドレスの裾にワインの香りがほのかに流れ
潰れた車のようなバンドが奏でる酔いを
僕は君のうなじにそっと捺印する
遠くまで行こう・・・
見知らぬ土地の空を見上げながら
口笛を吹いてみる
風のイメージが僕の心に生まれ
宛先人不明の手紙が戻ってくる

もし真夏のように区切られた季節があるのなら
終わりのないフィルムに吸収されている僕たちのまなざしは
凝縮された輝きなのか
飛び交う陽光の微粒子の眩しさは
僕たちの徹夜明けのはれぼったい瞼の裏側に
茫茫と臨時特別急行列車を走らせる
だから！ねえ　遠くまで行こう
やわらかな君の優しさと
坂道のような僕の倦怠を帽子にして
なにげなく
ちょっと
そこまでと

——列車の銀色の外線《アウトライン》は緑の山脈に沿って
風景の奥へと疾走する

君のかつて愛した孤独や恋や友情を
パステル画に描いて車窓に貼れば
白いアイスクリームのひと匙が感性にしみる
舌の上でとろける甘さを呑み込んで
長い髪の上の帽子を
ちょっと深めに被ってみるのだ
その時　僕は君の中の旅人であり
君は僕の心の縁を彷徨い続ける遥かな拡がりだ

昨日落とされた湿った疲労を
曳きずって微笑むのは
感情の沈黙区《エリア》に棲む僕たちのほのかな希望だろうか
君の噛み切った感受性のこげつく臭い
ひもじさの上に笑う情熱の焼け跡
だが　おそらく
どんな若さ故の飢餓も恨みはしない

膝折れて喘ぐ肩にのみ
未知なるものの
選ばれた用意が贈られるのだ
行こう！遠くまで
僕たちは真っ白なページを何枚めくったことか
明るい鏡の照射の位置を少しずつ移動させながら
まだ見つからぬ答えを求めて
再び新たな問いへと　―

俺たちの地中海

地中海に陽は満ち溢れ陽は
巨大な滝の流れになって
濃霧の東京に降り注ぐ
おお　地中海の饒舌
俺たちは日雇い労働者
高速道路で轢死《れきし》した情熱を
今　真冬のサロベツ原野に運んだばかりさ
凍った花弁を死の周囲に撒《ま》き散らし
これから旅立つのさ
光荒れ狂う　南ヨーロッパ・地中海

東京じゃ光はいつも笑止にすぎなかった
朝の友人はすでに疲労の食堂にいたし

スクランブル交差点に立っていたのは
マネキン人形であった
俺たちは一晩中働き続けたのさ
旅立ちには
どうしても新しい靴がいる

地中海よ　おお　憧れの地中海
真っ赤な葡萄酒を
神話の透明なグラスで飲み干せば
一面のオリーブ畑で
輝くような恋も始まるでしょう
おお　打ち震える地中海
俺たちのサナトリウム・地中海よ！

俺たちの貧しさは俺たちの財産
深夜の誰もいない広場での短距離競争は

勇壮な音楽もないまま
続行される暗い儀式
叩きつけた悲しみは
跳ね返って　世界中の窓ガラスをいっせいに割る
誰もが内に秘めているだろう
この日常は　信じられるものの為なら
すべて捨てることができる　と

透き通った朝の光の中を
歩く時代の靴の下に
涙の形から
少しずつ大きくなっていく俺たちの地中海が
欲情のようにあることを
今　振り返れ！

ぼくのヒゲが伸びた

ぼくのヒゲが伸びた　港の夕霧に滲む灯りのように
空と海の独白を影にして　ぼくのヒゲは伸びてゆく
君！外国船だね　熱帯辺りのにおいを連れて
どんな物語を語ってくれる　幾つもの土地と土地を
生は触れてきたんだろう
昨日よりもっと遠い昔から　こんなにも自身で
ぼくは君を待っていた　ほら伸びたヒゲ　悲しみや喜び

ここはどこ？
太い腕の船乗りがパイプをくわえ
ぼくの目の前を歩いて行く　パイプの煙は思惟を香らせ
波止場には何色ものロープが繋けられている
そのロープの賑やかさにぼくは疲れる

それよりも　水平線のたった一つの青さを
切り取ることのできない絵として信じていたい
降り出した雨に濡れてベンチに一人座る
虚ろな瞳の薄層を無国籍船が過ぎて行く

《街路のプラタナスは風に葉裏をかえし
この玻璃の通りは港へと続く　今　ぼくは
怒りに似た認容を　陽気な白い鳩の足に巻きつけ
静かに旅立たせようとしている》

ぼくのヒゲが伸びた　港の夕霧に滲む灯りのように
空と海の独白を影にして　ぼくのヒゲは伸びてゆく
君！おみやげは何？　冷たい波頭の重い色？
外国女の豊かな肉体　乳房　無残な青春？
ああ　叫ぶような霧笛が聞こえる
ぼくはヒゲのままだ
ここはどこ？

（歌詞）

君のいる風景

1．めくるめく光の中で
君は小さな子供のように
生きることが底抜けに楽しそうだね
城下町の古い蔵の前
白壁に君の影がはずんでいる
僕はそんな君が好きだよ

2．春の海は鏡のよう
裸足になって波と遊ぶ
沖を過ぎる赤い船　群れ飛ぶカモメ
小さな貝を耳にあて君は
はるかな水平線を見つめている
僕はそんな君が好きだよ

3．教会の芝生の上で
君は編物をしている
やわらかな髪に光を遊ばせ
何を考えているの微笑んで
おだやかな時間の中に君がいる
僕はそんな君が好きだよ

＊自由国民社発行　季刊誌「ギターライフ」1975年11月秋季号 第3回アマチュア作品コンテスト作詞の部（応募数4,182点）次点入賞作品

（歌詞）

思い出通せんぼ

1．あなたの姿を　夢に見て
ふと目覚めた　夜半の月
うっすらと悲しみがわいてきた
あなたの白い指先は
僕の心をかき鳴らす
もうお嫁に行ったあなたなのに
思い出通せんぼ

2．夏の昼下がり　誰もいない
海で二人　はしゃいだっけ
今は古びた風景画
嫁ぐ日に見上げた空は
ポツンと流れる雲ひとつ
もう帰るはずのないあなたなのに
思い出通せんぼ

3．移ろい過ぎる　季節の中を
求められぬ　淋しさのまま
あなたへの遠さを胸で測る
枯れたバラの花びらは
終わることのない一人旅
もう名前も変わったあなたなのに
思い出通せんぼ

＊自由国民社発行　季刊誌「ギターライフ」1976年4月春季号　第4回アマチュア作品コンテスト作詞の部（応募数5,318点）最優秀作品

第二章　プリズム

光と影をトレースするように、いくつかの愛の詩ができました。
生命の歓びと苦さに、短い物語は詩という形でしか刻印できませんでした。

印象

土砂降りの神楽坂の路地で
おまえと出会った
神様がもしいるなら
あれは運命でなくて
なんだったか

洗い立ての白菜の
真っ白な茎と淡緑の葉のような
素朴で瑞々《みずみず》しい
おまえの印象

物語

出会ったのは神楽坂でした
誘ったのは僕で
君は真っすぐ前を向いて歩いてきました

ネクタイをゆるめ
白いガードレールに腰かけて
君を待っていました
誰かが投げたジュースの空き缶が
夏の風もない街に音を立てました

二言、三言、言葉を交わし
二人並んで歩いたのでした
まだ腕は組まずに

夜が明け　陽が街を起こし
眩しい道を二人で歩きました
重い時間が少しずつ動き始め
それからあんなに速くなろうとは
君は僕の腕に腕をからませ
物語が始まったのでした

今日一日の最後の

外堀通りから
市ヶ谷の地下鉄に下りていく
階段の一番下で
君は僕に素早くくちづけをする
「さようなら」
今日一日の最後のあいさつ
夜遅くの駅は明るい蛍光灯に照らされて
帰る人たちを待っている
君の唇の温もりを感じながら
僕は電車に乗る

プリズム

ベッドの脇に座り込んで
君は鋭角にカットされたガラスの塊を
目にあてる

ビルの４階の１ＤＫ
二人の部屋
「とても綺麗」と君は呟く
夕陽が壁を赤く染めている

「もうすぐ青い部屋になるの
その時が一番好き」
ねえ、弘也も見て
渡されたガラスの中で

少しずつ重なりながら
いくつもの色彩が拡がっている

初冬の部屋のぬくもり
グレーの絨毯と窓際のサボテン
都会の喧騒が少し聞こえてきて
二人は指と指をからませる

そして灯りも点けず
暗くなるまで
部屋の色を見続けている

夜

水色の分厚いカーテンを買ったから
街の灯りが見えなくなってしまった
部屋の中はＧ・Ｗ・Ｊの音楽ばかり流れて
僕の隣にあるのは詩の雑誌

車の走る音　お風呂のシャワー　電車の遠い音
椅子に掛けたレンガ色のシャツ　折れたショルダーバッグ
紺色のコート　ガスストーブ　コラージュ用雑誌
湯上りの背中についた水滴
グレーのジュータン　サボテン　目覚まし時計
松本で買った手鞠

「これで鉛筆が削れていたら死んでもいいわ」

ふとバスタオルを巻いた
彼女の独り言

素敵

体調が悪いのに「何故行くのですか？」
旅に出かける現地主義の作家にインタビュー

胸の細糸で旅が織れるか！

なんだろうね　愛子　俺眠っている間にこんな詩を作ったよ

面白いわね

夢判断でこんな詩を作る男を分析したら
きっと　どこか行き場を失っているのかな

どうかしら

また眠っている間にこの詩の続きを作るよ
素敵

手紙

1

桜は満開で汽車は川に沿って走って行きます。陽光は遠い記憶を探すように丘の所々を照らしています。

土手に上ると菜の花が風に揺れていました。その一面の黄色を俯瞰していると、かつてこんな時間があったように思えてきます。

その日の夜
とても寂しい夢を見た
不思議だね　どんな夢だったか
どうしても思い出せない

次の日、やはり桜は満開で汽車は川に沿って走って行きます。

河原で親子が犬と遊んでいます。

2

雲はゆっくりと流れています。

穏やかな海に船が浮いています。大きな岩が砂に半分埋もれ、海鳥がその上に退屈そうに止まっています。道路が海岸線沿いに延び、光に透けた木々の緑が風に葉裏を返しています。四国の春の海は長閑で思わず大きく伸びをすると、遠くから鈴の音が聞こえてきました。お遍路さんが一人、少し背を丸めながら歩いて来るのです。菅笠をかぶり、白衣を身にまとい、車を避けるように金剛杖を前に進ませています。

愛子、歩いて回っているお遍路さんをよく見かけるんだ。

それぞれがどんな思いを胸に秘めているのだろう。

3

今日は強い風と雨の日です。

親子らしい女のお遍路さんが一本の金剛杖を横にして前後を握り、傘もささずにレインコートだけで横殴りの雨の中を濡れて歩いていました。

海は灰色の中に薄緑が溶けた色で、岩に砕けた波が飛沫を舞い上がらせています。

山の連なりが雨の中に霞んでいます。車は猛スピードで何台も水しぶきを上げ走り抜けていきます。

室戸岬の突端の浜に出ると、巨大な岩石が散在しています。激しい波はすべてのものを引きずり込もうかとでもするように、うねりながら底知れない力で襲いかかってきます。

・・・こんな場所にも花は咲いていて、岩陰で小さな黄色い花弁に雨滴をつけ何本も揺れていました。振り返ると、先ほどのお遍路さんが海鳴りの中に小さく見えます。
なぜか理由の分からない悲しみに胸が熱くなります。

― 室戸岬のその花を同封します ―

奔《ほと》ばしる

君と出会ってから
日々の暮らしのすべてが
意味のある時間になった

夏の午後
奔ばしるシャワーの水に
熱くなった裸体をさらし

生きていることが
あんなにも幸福だった頃

うなぎ

うなぎ屋で『うな重の上』を食べたね
ビールを一本飲んで
新宿箪笥町の道を
家に帰った
初めての喧嘩さ
俺は口もきかずに
おまえはバックを投げつけた
「弘也のバカ」
「・・・・・」
金網に当たって落ちた赤いバック

坂を下り
あきれ果てて俺はずんずん歩いた

それでも気になり
立ち止まって後ろを振り返ると
一定の距離を置いて
おまえも立ち止まった
下を向いて泣いていたけど
泣きながら作戦を練っていたんだきっと

戻った部屋で
「ねえ、どうしたの?·黙っていないで、言ってみなさい?」
急にお姉さんになって
俺の心を
おまえはまた食べてしまった

九十九里浜

夏の真夜中のドライブ
九十九里浜の砂浜で朝を迎えた
僕の友人と三人で
一日を太陽の下で過ごした

「これしかなかったの、スクール水着みたいでしょ」
紺一色のワンピースを着て
照れくさそうに君は笑う
そして三人で大笑い

白い波が
遠くまで続く砂浜に
繰り返し音を立てている

夏の午後
輝く青空に
じりじりと体を焼きながら
潮の香りを胸いっぱい吸い込んで

僕たちは心を
過ぎ行く時間に預けていた
すべてが永遠に
変わらないと

帽子

夕暮れの小さな渓谷沿いの細い道
撮った写真の帽子の上に
糸のような三日月が写っていたね
「とても弘也に似合っていたのに」
あとで君は言っていた

次の日　偶然お祭りの振る舞い酒があり
飲みすぎふざけて
川に落ちた俺
流された帽子はどこへ行った

「怪我しなくてほんとうによかったわ」
近くのホテルに入ってタクシーを呼び

途中の小さな店で着替えを買い
下田からグリーン車で帰った
四ツ谷のとんかつ屋で夕食をとり
なんだか変な旅だったと
少し疲れた顔で笑ったね

それにしても
あの帽子はどこへ行った？
カーキ色のレナウンの
新宿伊勢丹で選んだ
二人の帽子

どこへ行ってしまったのかな　あの帽子

宝物

あなたの優しさは
ほんとうの優しさなの
言葉だけじゃない
心からの優しさなの

「私の宝物」
はにかみながら
六本木で彼女は友人に
僕を紹介した

僕の心に一生残って消えない
君からの宝物の言葉

桜の樹の下で

桜の樹の下で
ベンチに腰かけて
君は長い髪を揺らした

桜の樹の下で
「今日、初めて履いたの」
赤いハイヒールを
君は見つめていた

僕は
薄曇りの空の下
微笑んでいる君に
昨日までの旅の話をした

桜の樹の下で
淡いピンクの花びらを
君は拾ってハンカチに
そっとしまった

出口

少しずつ
君は出口を意識しはじめる
この暮らしがいつまで続くのか

到達する世界の違いが
君の心の重さになっていく

海へ行こうか
斜めに空を見上げた君の写真を撮る
いつもと変わらぬ楽しい時間

でも
遠くの波濤は

いつの間にか冬の色に変わりはじめ
風は僕のコートの裾を
ばたばたと揺らそうとしている

ラブ　イズ　オーバー

台所に立って
君が唄っていた歌

さりげなく呟く
いい歌だね

後ろ姿なのに
君の表情が見える

「寂しいけれど終わりにしよう
きりがないから・・・」

下を向いて

料理を作っている
「これが最後の恋だから・・・」
出口が待っている僕と
出口を持たない君
「悲しいよ・・・」
君の心が迷っている

時間

あなたには幸せになって欲しいの、結婚して子供を作って家族でテレビを見る、私にはそれができないの、冗談のように笑って君は言う、時々ふさぐ君の横顔を見つめていると、外堀通りの明るい広がりに、少し目をそむける心の中に、ひっそりと入り込む、月日の意味でもない、思いやりでもない、ただどこか冷たい空気の一すじが流れて来る、出口が見えないまま過ぎてゆく時間。

電話

もう会わないほうがいいと思うの
弘也には感謝の気持ちしかない
ごめんなさい・・・
ねえ　何か言って
・・・・
いろいろとありがとう
・・・・
さようなら

窓から見上げた空は晴れていて
停止した時間が空の青さに貼りついている
奇襲だね　突然会社に電話なんて

周りに人がいて大きな声も出せない
何も言える訳がないじゃないか
それを承知で君は電話をしている

君が電話を切った時から
生きているこの世界が急に輝きを失い

重さ

・・・歩行者天国の手前で車を止めた
降りた君の遠ざかる後ろ姿を見ていた

(愛する人を失うことは
自分の命がなくなることと同じ)

そういえば始まったのも車の中だったね
「これからほんとうに一緒に暮らすのね」
僕の横顔を見つめていた
五年前の青山通り

君は道玄坂を下って行く
振り返ることもなく

少しずつ人ごみに消えてゆく
自分で結論を出すのが
君の強さと弱さだった

別れの重さに震えながら
アクセルを踏む
ビルの影に入れば
五年間の君が遠ざかる

愛する人を失うことは
きっと自分の命がなくなることと同じ・・・

心

テレビにおまえの姿が映った
あなたは真っ直ぐに私の目を見つめるの
そう言っていたおまえは

インタビューアーの目を
じっと見つめて
真っ直ぐに話をしている

俺は気がついた
出会って互いの心を受け止めたのは
きっとおまえの方が先だったのだ　と

短い放映の後
変わらないおまえに
今の俺の心を
そっと届けたかった

第三章　一輪の花

長い空白の後に、また詩が生まれました。生の滴が紙の上にやはり落ちたのです。それは楽しくもあり、業のようでもあり、しかし生きていることの証明でもありました。

一輪の花

地平線に残る一輪の花を
旅人はそっと摘む
見上げた夜空に瞬く満天の星
ふと風が吹いてくる

どこか遠くから呼ぶ声がする
（心の奥にしまった大事なもの・・・）
ささやくように

旅人はマントをひるがえし
もう一度新鮮な旅をはじめる
そして少しずつ
眠っていた時間が動き出し

旅人の胸の中
一輪の花は枯れることなく
暁の明かりに
輝きを増す

――定年退職の日の夜に――

伊良湖岬

五人の男の体躯《からだ》から汗が噴き出す
五つの影は十万億土の空間に
立体的に停止したまま動かない

熱風だ　祝祭だ
海面に万の魚が跳ね
海草は踊り
すべての貝が浜へと動き出す

いつも創まりなのだ
まとわりついた服を脱ぎ捨て
沖に立ちはだかる神の島めざし
荒波に飛び込む瞬間

分厚い雲の割れ目から
油のようなギラギラした陽射しが
男たちの影を燃やしつぶしてゆく

――友との夏の日の再会

N君の優しさは

時間があれば君のアパートに
ふらりと立ち寄った
狭い部屋でいろんな話をした

風の強い冬の夜
帰る僕を途中まで
見送ってくれた

笹塚の歩道橋の上で別れたが
寒いだろうと
君は自分のマフラーを
僕の首に巻いてくれた
君のぬくもりが

僕の心を包み込んだ

N君の優しさは
歩道橋の上から見上げた銀河とともに
いつまでも宝石のように輝いている

二十歳の頃の
そんな思い出が
僕の心から離れない

聖雨《せいう》　―　父の死　―

気配もなかった深夜の空に
雨は落ちてきた

病院の広い駐車場に
蛍光灯がほの白く光っている
僕と妹は濡れた車へと向かった

「家族がそろった時に
お父さんは亡くなってくれた」
遠くから泊まり込みで来ていた妹が呟く

―　夕暮の空に少しずつ紺色が加わる頃
僕は病院に駆け込んだ

心を落ち着かそうと廊下をゆっくりと歩き
父の顔を見つめた
父は苦しい息の中
震える指先でＳＯＳと僕に今を伝えようとした

・・・・

若い看護士さんが二人で
病室の父の体を清めてくれた
そして駆けつけてくださった山本先生と一緒に
最後に父の伸びたヒゲを剃った

父の遺体が安置された地下の霊安室で
病院の方たちと焼香をあげた
こみ上げる思いに
涙がこぼれ落ちた

母はただ小さく背を丸め
懸命にこの時間を受け止めようとしている

・・・そして夜が明ける頃
霧のように降りしきる雨の中
父は我が家へと帰って行った

句点

葬儀場に戻る為
皆で外へ出た

母が父の骨壺を抱え
僕はその温もりを
心に集めていた

夏の日だった
妹の「ああ、空が青い」の言葉に
上を向いた

父の思いの
すべてを知るはずもないが

青さの中に
父がいる気がした
白い雲が動かずに浮かんでいる

短い葬列は
父の人生の
完結の句点のようだった

感情

こちらを覗《のぞ》き込むように
見え隠れするものは何？

薄闇の昏《くら》さの中で
後悔や失意や恨みや懺悔やらが
苛立ちの感情になって
地下水のように
生命の割れ目から
小さく　大きく　噴き出してくる

すると行き場のない悲しみが
僕の心の底に
残って　消えない

雲母《きらら》

とても悲しいことがある
捨ててきた罪に
ほの白く照らされながら
暗い夜道をうなだれて歩いている

耳鳴りにじっと耳を澄ます
そんな時間を連れて
長い道のりを
一人で帰って行く

踏みしめるたびに砕け散る
雲母の欠片《かけら》が罰として
僕の体の周りを

いつも包んでいる
とても悲しいことがある
立ち止まっても
拾うことのできない罪の影は
少しずつ大きくなってゆく

逝《おく》る詩《うた》 ― M子へ ―

さようならと
心の中で別れを告げた

小学校の時の遠い記憶なのに
まるで一枚の絵のように
校舎の片隅にたたずむ
君の姿が目に浮かぶ

校庭で遊んでいる僕を見つめていた
少しはにかんだ君の笑顔は
なつかしい僕の思い出になった

時が過ぎ街で偶然出会うと

いつも君は僕を
その大きな瞳で見つめて・・・

きっと人は皆
大事な思い出を胸に抱きかかえながら生きている

永遠に心の中に仕舞うよ
少女の君と大人になった君と
僕が触れた時間

僕は哀しみに濡れている
濡れたまま君の側を過ぎて行く

心から呟いた
さようなら・・・

死んだように眠られるのは束の間だ

姥捨山に母を捨てに行った
中途半端に生きてきた男の行為は
結構究極だ

姥捨山の稜線に雪が降る
山頂はもっと寒かろう
いつか聞いた物語は
何のことはない　現代にも
あるのだ

中途半端な男の顔から
笑顔が消えてゆく
瞳も頬も唇も生気を失ってゆく

酒量が増えたが
死んだように眠られるのは束の間だ

姥捨山は
男の小さな畑からも見えるだろう
鍬を必死に振り下ろし続ける男の涙を
狂ったような北風が
あとからあとから奪い取って行く

もう戦う武器は持っていないのに

姥捨山へは高速道路で行く
街はずれのインターを降りて
信号を七つ目
雨上がりの土の匂いがする病院の玄関に
母を背負って入る

眠ったふりをする母の
温かい息が
男の首筋に触れる

ほんとうに眠っている翁　媼たちの
間を歩きながら
男はこう思った

『ここは最後の戦場
もう戦う武器は持っていないのに』

姥捨山の華やかな紅葉が
病院を優しく包み込んでいる

母の涙が
男の首筋に落ちる

中途半端な男の涙も
スローモーションになって
病院の床に落ちていく

残酷（な夢）

あなたはスカートをたくし上げ
下着を僕に見せつける
あなたの後ろには夫がいて
僕を見ている

あなたは昔僕を愛していて
僕は今でもあなたを愛している

その下着は二人のために
あなたが買ったもの
セクシーなあなたの心が
今は残酷だ

あなたはスカートをたくし上げ
その美しい姿を
僕に見せつけ続けている

破屋《はおく》

断崖の上の破屋に
男が一人逃げこんで行く
海から風が吹いてくる

暗い部屋の壁はひび割れ
剥き出しの鉄線に
乾いた血のような錆が
浮き出ている

壁の隙間から
男は海を眺める
心の割れ目を覗くように
・・・時間が止まる

外の水たまりには
鈍色の空が映っている
空の中をボウフラが泳いでいる

男は何から逃げているのか
現実からか　夢からか
人間からか　人生からか
無精ヒゲに白いものが交っている

断崖の上の破屋はしんとしたまま
黒灰色にうずくまっている
海から塩っ辛い風が
唸りながら吹いてくる

雪の道を

雪の道を一人行く
酔っぱらって
悲しく俺に

倒れながら
また倒れて
つんのめって

雪の道を一人倒れる
酔っぱらって
馬鹿な俺に

ごめん

空っぽの部屋で
気が付くこともある
忙しかったとか
ちゃんと考えてなかったとか
そんな理由を
笑って許してくれる君だけれど
今更だよね
本当にごめん

刃《やいば》

重すぎて
言えなかった言葉がある
夜の部屋で
刃が頬に当たっているような
止まった時間の中
一生後悔するだろうと思った
あの日

祈り　～義母の献体に思う～

見上げれば
助けを求めているのに
弱さを隠そうとしている
そんな自分がいて

目を閉じれば
空の高みから澄んだ音楽が
穏やかに降りてくるようでした

肉体を献《ささ》げる優しく強い貴女《あなた》の心に
僕は手を胸に静かに祈るばかりでした

（御殿場　富士霊園での納骨式にて）

灯台

浅い眠りの中で
「灯台に行ったことがある?」
その人は聞いた

記憶の底にある灯台は
脆い夢の上に立っていて
水平線が斜めに揺れていた
僕は耳に貝をあてながら答えた

「灯台の白さをどう思う?」

再びその人が聞く

青い空に伸びた抒情

雨の中に立つ孤独
僕は遠くを見つめながら答えた
「どこの灯台に行ったの?」
僕はしばらく考えた

きっと子供の頃感じた哀しみ
それが僕の灯台だと
浅い眠りの中でその人に答えた

滞船

傷ついた帆船が河口に滞留している
荒く浪が立っている

帆を下した長いマストと帆網が
青みがかった灰色の空に伸びている

鋭い憂いが君の風景の奥にある
自信と不安と悲しみと・・・

何本ものマストが運命の中を
大きく上下している

佐伯祐三　画「滞船」の印象

立てる像

絶望はしない

風景の中に潜む孤独を
ざらざらとした手のひらで掴み
画面《キャンバス》に刻み込んだ

街に立つ君の眼は
遠くを見据えたままだ

松本竣介　画「立てる像」の印象

逆光の人

槍ヶ岳の穂先の
一センチの岩の出っ張りに
右足のかかとを乗せようとした瞬間

そこは危ないですよ!!
見上げると逆光の中に
ぼんやりと人の姿がありました

山へ単独行で行くようになり
八ヶ岳　間ノ岳　北岳　西穂高
奥穂高　槍ヶ岳　蝶ヶ岳・・・

槍の頂上から降りるルートを間違えて

一センチ幅からの
命の生還でした
再び見上げると
逆光だけが
眩しく光っていました

そらをゆく

みぎにいったりひだりにいったり
きままなねこのようにままならぬ
なんでまっすぐにいかないのだろう
おれがわるいのかどうぐがわるいのか
やれやれとわらいながらいちにちが
すぎてたのしいごるふたまにまっすぐ
とんでのびるぼーるがそらをゆく
かわのさんとはじめたごるふ

小さな駅

小さな駅のすぐ隣に
お寺があるんですね

小さな駅に
僕は降り立ちました
ねえ　河野さん
青い空が遠くまで広がっています

二年前
あなたからもらった電話
会いたいと言っていた
不思議な電話でした

小さな駅の澄んだ空気の香り
心も澄んでいくようで

三歳のご長男が亡くなられた時
「障害があったんだよ
覚えていてくれ　この子の顔を」
あなたの頬は涙に濡れていました

煙草をふかし
コーヒーが好きでしたね
なぜか僕のことを気にかけてくれました

あなたを中心に
みんなでスキーやテニスを楽しみましたね
思い出がいっぱいです

まだ早いですよ　亡くなるのは・・・
お世話になりました
僕をいつも優しく包んでくれた
さようなら河野さん
小さな駅から
僕は一人　帰って行きます

帰路

『角を曲がると
あらゆる詠嘆はすでに意味がない』
二十歳の頃読んだ詩人の言葉が
まだ胸に残っている

薄闇の中に
浮かぶ言葉を拾い集めながら
僕はいくつの角を曲がり
いくつの詠嘆を求めて来たのだろう

・・・・・

『お前はもう帰るがよい』
汚れっちまった無垢な詩人が
最後に書き残した呟き

灯りが揺れる街の
最後の角を曲がり

僕は
何処へ帰って行くのだろう

第四章　二月十三日

二月十三日、妻がくも膜下出血で救急搬送されました。

二月十三日

寒い部屋

眠るのが怖かった
あなたが倒れた日の
病院から戻った深夜の
寒い部屋で
不安に震えていた

ウイスキー

少しウイスキーを飲んで
夜の闇の中を見続けた

涙

込み上げる思いに
涙が
胸のここまで
鼻のここまで
瞳の奥のそこまで
溢れ出ようとしている

込み上げる思いを
電話で話をしている相手に
ぶつけないように
そっと呑み込んで
いく度も呑み込んで

涙を抑えて
話を続ける

窓

真っ赤になった目に
ティシュをあて
窓に背を向け
泣いた
独りの部屋

寒風

あの泣き虫だった子が

「お父さん、どうした」
と守ろうとしている

夜の病院の長い廊下で
救急車が来るたびに
ドアから吹き込む寒風が
子の髪を揺らす

ふと子の手が
手と背に

向こうから来る人たち

向こうから来る人たちを見ていた
五年?八年?
いや　もっと前からかも知れない

向こうから来る人たちは笑顔だ
空は青い
楽しそうに歩いて来る

僕はどこにいる?
この部屋の中で
喪失感に浸されて

向こうから来る人たちに

陽は当たる
大人も子供も
男も女も皆んな・・・

五年？八年？
いや　昨日からかも知れない
二か月前からかも知れない
君のいないこの部屋の中で

心の中で

無題

死んでから
地獄があるのかないのか
ほんとうのところ
誰もわからない

宗教それぞれ
呼び名は変わるらしいけれど
あるのかないのか
ほんとうに知っている人は
この世に誰もいない

でも
一つだけ言えるのは

この世に地獄って言うのは
ほんとうにあるらしい

（妻が入院中に母が危篤になりました。コロナ禍で
会えない病院の母に、最後に面会の許可が出て）

お母さん

いくどもいくども
うなずいていた
お母さん　克美だよ　克美が来たよ
がんばろうね
いくどもいくども
うなずいていた
閉じた目を開けることもなく
頬と手にあなたの子供が
触れて
お母さん　克美だよ　克美が来たよ
うなずく母の目に
涙がにじんで　あふれて　こぼれようとしている
お母さん

孤空を掴《つか》む人

孤空を掴む人がいる
拠《よ》るべきものがない
逆さまの時間の中を這いずり回り
溺れる人のように
両腕を宙に突き伸ばし

絶望的な記憶のまま一人
孤空を掴む人がいる

月の涙が夜の地面に落ちて
暗い灯りに滲んでいる

言葉

奇跡を信じていたのかしら
二か月間　意識混濁で寝ていた人が
あら　私どうしたのかしら　と
普通に話し出すことを

三回も手術をした月日の中で
季節の移り変わりって
あったのね　あったらしい

大変な時に
お母さまが亡くなって
この空から色も消えた

克美さん　しっかりしなければだめだよ
克美さんが倒れたらだめだからね
私もがんばるから　ね

いつもの風

朝の青い空に
薄い雲がひとすじ
横切っている

季節を渡る鳥が
雲の下を羽ばたいている

今年もいつもの場所で
いつもの時を過ごすために
帰って来た

今日　君と
草の香りがする道を

家までゆっくりと
歩いて行こう
見上げる空に
いつもの風が
優しく吹いている

〜六月十五日、四か月間の闘病生活を終え、
妻は家に帰って来ました。

仏様になるという

梅雨の晴れ間の暑い日に
母の四十九日法要を
行った

亡くなった人は四十九日目に
この世からあの世へ行き
仏様になるんですよ
と法話があった

納骨のため
父のいるお墓へ
「風があるけど
やっぱり暑いね」

参列の人が話している
今もまだ心は半分凍っている
母の生前の時間が
流れている

順番に線香をあげ
手を合わせた
青い空の下

納骨を陽射しの中で見ていたよ
これであなたも少し落ち着けるね

母の声がした

最後の一頁に

終わりには
決まって続きがあったけれど
今度は本当らしい

知っている？
今こうして夕陽を眺めているが
人生も時々色が変わる

悩むことはないよ
人は苦悩と共にあるのだから
笑い飛ばせ

愛する人がもし傍にいたら

優しい手に手を添えて
何を綴ろう
最後の一頁に

あとがき

大学受験浪人中に「黒い川」という小説を書き、学習研究社・高校生小説コンクール「第七回コース文学賞」に応募し入選をしました。応募数は二一七八編、内浪人生の八七編からは私の作品のみが入選でした。勉強もせず小説を書いていたので褒められたものではありません。また、大学四年生の時に趣味で書いた歌詞二点がアマチュア作品コンテストに入選及び最優秀作品に選ばれました（本詩集に掲載）。プロへ、ということも頭をよぎりましたが、就職も控えており、いい思い出にすることにしました。小説や歌詞よりも自分にとって表現の自由さに勝るのが詩でした。詩はいつでも心中を吐露できる大事な一番の友人であり相談相手、そして〝楽しき玩具〟でした。

会社を退職し人生を見返すことも多くなりました。いつか書きためた作品を本の形にしたいと思っていましたが、夢の友出版の堀籠社長が会社の尊敬する先輩だったこともあり、出版をお願いすることにしました。編集、装丁などたいへんお世話になりました。

深く感謝申し上げます。作品は自分の子どものような存在です。本の形にできたことで彼ら（作品）に対してやっと親の責任を果たしたような、そんな気持ちです。

また、第四章にあるように妻の闘病中は何編かの詩を書くことによって心の均衡を保つことができたような気がします。退院後はほとんど後遺症もなく暮らしていますが、生死に直面した現実に、妻が私にとってかけがえのない存在であることを再認識しました。妻の突然の病にうろたえている私を側でささえてくれたのが長女でした。彼女の成長を頼もしく感じました。ありがとうの言葉を心から贈りたいと思います。

二〇二三年三月

◆著者プロフィール

KATUMI (冨田 克美)

1952 年東京生まれ。明治大学商学部卒。学生時代から創作活動を始め、大学受験浪人中に執筆した小説「黒い川」が、学習研究社・高校生小説コンクール「第 7 回コース文学賞」で入選を果たす。大学時代の 1976 年には、自由国民社季刊誌「ギターライフ」春季号第 4 回アマチュア作品コンテスト作詞の部で、応募数 5,318 点の中から、「思い出通せんぼ」が最優秀作品に選ばれるなど、創作活動を活発に行う。大学卒業後は出版社に勤務するが、創作活動は一時休止。退職後に創作活動を再開したのを機に、これまでの詩作品を集大成した本書を発刊する。

詩集 *Prism*

2023 年 5 月 25 日 初版発行

著者　冨田　克美

発行・制作　株式会社 夢の友出版

東京都新宿区白銀町６－１－８１２(〒 162-0816)

電話０３－３２６６－１０７５

印刷　株式会社 日本制作センター

ISBN978-4-906767-08-3